손으로 직접 쓰는
하늘과 바람과 별과 시

북오션은 책에 관한 아이디어와 원고를 설레는 마음으로 기다리고 있습니다. 책으로 만들고
싶은 아이디어가 있는 분은 이메일(bookrose@naver.com)로 간단한 개요와 취지, 연락처
등을 보내주세요. 머뭇거리지 말고 문을 두드리세요. 길이 열릴 것입니다.

손으로 직접 쓰는
하늘과 바람과 별과 시

초판 1쇄 인쇄 | 2016년 2월 29일
초판 1쇄 발행 | 2016년 3월 4일

지은이 | 윤동주
펴낸이 | 박영욱
펴낸곳 | (주)북오션

편 집 | 권희중 · 이동원
마케팅 | 최석진 · 임동건
표지 및 본문 디자인 | 서정희 · 심재원
띠지 일러스트 | 박상철
세무자문 | 세무법인 한울 대표 세무사 정석길(02-6220-6100)

주 소 | 서울시 마포구 서교동 468-2
이메일 | bookrose@naver.com
페이스북 | facebook.com/bookocean21
블로그 | blog.naver.com/bookocean
전 화 | 편집문의: 02-325-9172   영업문의: 02-322-6709
팩 스 | 02-3143-3964

출판신고번호 | 제313-2007-000197호

ISBN 978-89-6799-254-5 (03810)

이 도서의 국립중앙도서관 출판예정도서목록(CIP)은 서지정보유통지원시스템
홈페이지(http://seoji.nl.go.kr)와 국가자료공동목록시스템
(http://www.nl.go.kr/kolisnet)에서 이용하실 수 있습니다.
(CIP제어번호: CIP2016001640)

손으로 직접 쓰는

하늘과 바람과 별과 시

윤동주 지음 | 편집부 엮음

북오션

시대의 어둠을 밝힌 촛불, '청년 윤동주'를 만나다

우리말과 우리글은 물론 자신의 이름조차 사용할 수 없었던 일제강
점기, 시인을 꿈꿨던 청년 윤동주. 우리와 함께 '오늘'을 사는 그의 끝
나지 않은 이야기가 다시 시작되고 있다. 윤동주 서거 71주년이 되는 올
해에는 문학·출판계는 물론 연극, 영화, 공연 등 그의 정신을 기리기
위한 다양한 움직임이 생겨날 예정이다.

> "죽는 날까지 하늘을 우러러 한 점 부끄럼이 없기를,
> 잎 새에 이는 바람에도 나는 괴로워했다. ……"
>
> 윤동주의 '서시' 중에서

윤동주의 시를 모르는 사람은 없지만, 그의 삶을 제대로 아는 사람은
많지가 않다. 윤동주의 삶을 그린 이준익 감독의 영화 〈동주〉는 암흑의
시대, 많은 것을 고민하고 저항했던 '청년 윤동주'와 그의 친구인 독립
운동가 송몽규의 이야기가 담겨있다. 적극적인 독립운동에 매진한 송
몽규와 달리 윤동주는 절망적인 순간에도 꿋꿋이 시를 쓰며 조국의 시
련과 아픔을 담아내어 위로했다.

〈서시〉, 〈별 헤는 밤〉, 〈자화상〉, 〈참회록〉 등 윤동주가 생전에 남긴
시들은 지금도 시대를 뛰어넘어 많은 사람에게 새로운 감동을 주고 있
다. 2015년, 윤동주 서거 70주년을 맞이해 일본에서 그를 추모하기 위

한 대대적인 낭송회가 있었다. 윤동주가 공부했던 릿쿄 대학 교정에서 그의 대표작 〈서시〉가 울려 퍼졌을 때 일본인들은 그에 대한 죄스러움과 식민 지배에 대해 반성을 할 수 있었다고 한다. 윤동주의 시에는 과연 '무엇'이 담겨 있기에 일본인들마저 참회하고 감동할 수 있었을까?

나라를 빼앗긴 암흑의 시대에 별처럼 바람에 스치듯 살다가 짧은 생을 마친 윤동주. 그의 서거 71주년을 맞이해 발간한 이 책은 윤동주의 생을 통해 광복 71주년의 의미를 되새기자는 취지와 함께 그가 생전에 남긴 주옥같은 시들을 독자들이 '손글씨'로 직접 써보길 바라는 마음으로 구성한 99편의 시가 실려 있다.

책을 펼쳤을 때 왼쪽 페이지에는 시의 원문을 싣고, 오른쪽 페이지에는 각기 다른 감성적인 디자인의 필기 공간을 마련해 독자들이 자연스럽게 시를 읽으면서 쉽게 따라 쓸 수 있도록 구성되어 있다. 윤동주의 시를 읽고 음미하는 것으로도 좋지만, 그의 시를 한 자 한 자 써가면서 내면의 소리에 귀를 기울이면 새로운 감동은 물론 윤동주의 고뇌와 숨결을 느낄 수 있을 것이다.

가장 어둡고 처절했던 일제강점기, 이국의 하늘을 바라보며 조국의 슬픔과 고통을 위로하며 민족의 소망을 노래한 윤동주의 시를 읽고, 또 직접 손으로 써본다면 독자들도 가슴속에 확실한 소망을 키워나갈 수 있을 것이다.

2016년 2월
북오션 편집부

5

차례

머리말

별 헤는 밤

계절이 지나가는 하늘에는
가을로 가득 차 있습니다.

나는 아무 걱정도 없이
가을 속의 별들을 다 헤일 듯합니다.

가슴 속에 하나 둘 새겨지는 별을
이제 다 못 헤는 것은
쉬이 아침이 오는 까닭이요,
내일 밤이 남은 까닭이요,
아직 나의 청춘이 다하지 않은 까닭입니다.

별 헤는 밤

....

....

....

....

....

....

....

....

....

....

....

....

....

....

....

별 하나에 추억과

별 하나에 사랑과

별 하나에 쓸쓸함과

별 하나에 동경과

별 하나에 시와

별 하나에 어머니, 어머니,

어머님, 나는 별 하나에 아름다운 말 한 마디씩 불러
봅니다. 소학교 때 책상을 같이 했던 아이들의 이름과,
패, 경, 옥 이런 이국 소녀들의 이름과, 벌써 애기 어머니
된 계집애들의 이름과, 가난한 이웃사람들의 이름과,
비둘기, 강아지, 토끼, 노새, 노루, '프랑시스 잠', '라
이너 마리아 릴케' 이런 시인의 이름을 불러 봅니다.

이네들은 너무나 멀리 있습니다.
별이 아슬히 멀듯이,

별 헤는 밤

어머님,
그리고 당신은 멀리 북간도에 계십니다.

나는 무엇인지 그리워
이 많은 별빛이 나린 언덕 위에
내 이름자를 써 보고,
흙으로 덮어 버리었습니다.

딴은 밤을 새워 우는 벌레는
부끄러운 이름을 슬퍼하는 까닭입니다.

그러나 겨울이 지나고 나의 별에도 봄이 오면
무덤 위에 파란 잔디가 피어나듯이
내 이름자 묻힌 언덕 위에도
자랑처럼 풀이 무성할 게외다.

15

별 헤는 밤

서시

죽는 날까지 하늘을 우러러
한 점 부끄럼이 없기를,
잎새에 이는 바람에도
나는 괴로워했다.
별을 노래하는 마음으로
모든 죽어 가는 것을 사랑해야지
그리고 나한테 주어진 길을
걸어가야겠다.

오늘 밤에도 별이 바람에 스치운다

서시

참회록

파란 녹이 낀 구리 거울 속에
내 얼굴이 남아 있는 것은
어느 왕조의 유물이기에
이다지도 욕될까.

나는 나의 참회의 글을 한 줄에 줄이자.
―만 이십사 년 일 개월을
　무슨 기쁨을 바라 살아왔던가.

내일이나 모레나 그 어느 즐거운 날에
나는 또 한 줄의 참회록을 써야 한다.
―그때 그 젊은 나이에
　왜 그런 부끄런 고백을 했던가.

밤이면 밤마다 나의 거울을
손바닥으로 발바닥으로 닦아 보자.

그러면 어느 운석 밑으로 홀로 걸어가는
슬픈 사람의 뒷모양이
거울 속에 나타나 온다.

새로운 길

내를 건너서 숲으로
고개를 넘어서 마을로

어제도 가고 오늘도 갈
나의 길 새로운 길

민들레가 피고 까치가 날고
아가씨가 지나고 바람이 일고

나의 길은 언제나 새로운 길
오늘도…… 내일도……

내를 건너서 숲으로
고개를 넘어서 마을로

새로운 길

쉽게 씌어진 시

창밖에 밤비가 속살거려
육첩방*은 남의 나라.

시인이란 슬픈 천명인 줄 알면서도
한 줄 시를 적어 볼까,

땀내와 사랑내 포근히 품긴
보내주신 학비 봉투를 받아

대학 노-트를 끼고
늙은 교수의 강의 들으러 간다.

생각해보면 어린 때 동무를
하나, 둘, 죄다 잃어버리고

나는 무얼 바라
나는 다만, 홀로 침전하는 것일까?

인생은 살기 어렵다는데
시가 이렇게 쉽게 씌어지는 것은
부끄러운 일이다.

육첩방은 남의 나라
창밖에 밤비가 속살거리는데,

등불을 밝혀 어둠을 조금 내몰고,
시대처럼 올 아침을 기다리는 최후의 나,

나는 나에게 적은 손을 내밀어
눈물과 위안으로 잡는 최초의 악수.

• 육첩방 : 일본식 돗자리인 '다다미' 여섯 장짜리 방.

쉽게 씌어진 시

사랑스런 추억

봄이 오던 아침, 서울 어느 쪼그만 정거장에서
희망과 사랑처럼 기차를 기다려,

나는 플랫폼에 간신한˚ 그림자를 떨어뜨리고
담배를 피웠다.

내 그림자는 담배 연기 그림자를 날리고,
비둘기 한 떼가 부끄러울 것도 없이
나래 속을 속, 속, 햇빛에 비춰, 날았다.

기차는 아무 새로운 소식도 없이
나를 멀리 실어다 주어,

봄은 다 가고— 동경 교외 어느 조용한 하숙방에서,
옛 거리에 남은 나를 희망과 사랑처럼 그리워한다.

오늘도 기차는 몇 번이나 무의미하게 지나가고,

오늘도 나는 누구를 기다려 정거장 가차운
언덕에서 서성거릴 게다.

— 아아 젊음은 오래 거기 남아 있거라.

• 간신한 : 힘들고 고생스러운.

자화상

산모퉁이를 돌아 논가 외딴 우물을 홀로 찾아가선 가만히 들여다봅니다.

우물 속에는 달이 밝고 구름이 흐르고 하늘이 펼치고 파아란 바람이 불고 가을이 있습니다.

그리고 한 사나이가 있습니다.
어쩐지 그 사나이가 미워져 돌아갑니다.

돌아가다 생각하니 그 사나이가 가엾어집니다. 도로
가 들여다보니 사나이는 그대로 있습니다.

다시 그 사나이가 미워져 돌아갑니다. 돌아가다 생
각하니 그 사나이가 그리워집니다.

우물 속에는 달이 밝고 구름이 흐르고 하늘이 펼치
고 파아란 바람이 불고 가을이 있고 추억처럼 사나이
가 있습니다.

십자가

쫓아오던 햇빛인데
지금 교회당 꼭대기
십자가에 걸리었습니다.

첨탑이 저렇게도 높은데
어떻게 올라갈 수 있을까요.

종소리도 들려오지 않는데
휘파람이나 불며 서성거리다가,

37

십자가

괴로웠던 사나이,
행복한 예수 그리스도에게
처럼
십자가가 허락된다면

모가지를 드리우고
꽃처럼 피어나는 피를
어두워 가는 하늘 밑에
조용히 흘리겠습니다.

39
십자가

태초의 아침

봄날 아침도 아니고
여름, 가을, 겨울,
그런 날 아침도 아닌 아침에

빨-간 꽃이 피어났네,
햇빛이 푸른데,

그 전날 밤에
그 전날 밤에
모든 것이 마련되었네,

사랑은 뱀과 함께
독은 어린 꽃과 함께

태초의 아침

또 태초의 아침

하얗게 눈이 덮이었고
전신주가 잉잉 울어
하나님 말씀이 들려온다.

무슨 계시일까.

빨리
봄이 오면
죄를 짓고
눈이
밝아

이브가 해산하는 수고를 다하면

무화과 잎사귀로 부끄런 데를 가리고

나는 이마에 땀을 흘려야겠다.

43

또 태초의 아침

소년

　여기저기서 단풍잎 같은 슬픈 가을이 뚝뚝 떨어진
다. 단풍잎 떨어져 나온 자리마다 봄을 마련해 놓고 나
뭇가지 위에 하늘이 펼쳐 있다. 가만히 하늘을 들여다
보려면 눈썹에 파란 물감이 든다. 두 손으로 따뜻한 볼
을 씻어 보면 손바닥에도 파란 물감이 묻어난다. 다시
손바닥을 들여다본다. 손금에는 사랑처럼 슬픈 얼굴-
아름다운 순이의 얼굴이 어린다. 소년은 황홀히 눈을
감아 본다. 그래도 맑은 강물은 흘러 사랑처럼 슬픈 얼
굴-아름다운 순이의 얼굴은 어린다.

눈 오는 지도

　순이가 떠난다는 아침에 말 못할 마음으로 함박눈이 내려, 슬픈 것처럼 창 밖에 아득히 깔린 지도 위에 덮인다.

　방안을 돌아다보아야 아무도 없다. 벽과 천정이 하얗다. 방 안에까지 눈이 내리는 것일까, 정말 너는 잃어버린 역사처럼 홀홀이 가는 것이냐, 떠나기 전에 일러둘 말이 있던 것을 편지를 써서도 네가 가는 곳을 몰라 어느 거리, 어느 마을, 어느 지붕 밑, 너는 내 마음속에만 남아 있는 것이냐, 네 쪼고만 발자국을 눈이 자꾸 내려 덮여 따라갈 수도 없다. 눈이 녹으면 남은 발자국 자리마다 꽃이 피리니, 꽃 사이로 발자국을 찾아 나서면 일 년 열두 달 하냥˚ 내 마음에는 눈이 내리리라.

˚ 하냥 : 늘.

눈 오는 지도

코스모스

청초한 코스모스는
오직 하나인 나의 아가씨,

달빛이 싸늘히 추운 밤이면
옛 소녀가 못 견디게 그리워
코스모스 핀 정원으로 찾아간다.

코스모스는
귀뚜라미 울음에도 수줍어지고,

코스모스 앞에선 나는
어렸을 적처럼 부끄러워지나니,

내 마음은 코스모스의 마음이요
코스모스의 마음은 내 마음이다.

49
코스모스

풍경

봄바람을 등진 초록빛 바다
쏟아질 듯 쏟아질 듯 위태롭다.

잔주름 치마폭의 두둥실거리는 물결은,
오스라질 듯 한껏 경쾌롭다.

마스트 끝에 붉은 깃발이
여인의 머리칼처럼 나부낀다.

*   *

이 생생한 풍경을 앞세우며 뒤세우며
온 하루 거닐고 싶다.

-우중충한 오월 하늘 아래로
-바다 빛 포기포기에 수놓은 언덕으로.

바다

실어다 뿌리는
바람조차 씨원타.

솔나무 가지마다 새침히
고개를 돌리어 뻐드러지고,

밀치고
밀치운다.

이랑을 넘는 물결은
폭포처럼 피어오른다.

해변에 아이들이 모인다
찰찰 손을 씻고 구보로.

바다는 자꾸 설워진다
갈매기의 노래에……

돌아다보고 돌아다보고
돌아가는 오늘의 바다여!

내일은 없다
─어린 마음이 물은

내일 내일 하기에
물었더니
밤을 자고 동틀 때
내일이라고

새날을 찾던 나는
잠을 자고 돌아보니
그때는 내일이 아니라
오늘이더라

동무여!
내일은 없나니
......

내일은 없다

눈 감고 간다

태양을 사모하는 아이들아
별을 사랑하는 아이들아

밤이 어두웠는데
눈 감고 가거라.

가진 바 씨앗을
뿌리면서 가거라.

발부리에 돌이 채이거든
감았던 눈을 와짝 떠라.

눈 감고 간다

길

잃어버렸습니다.
무얼 어디다 잃었는지 몰라
두 손이 주머니를 더듬어
길에 나아갑니다.

돌과 돌과 돌이 끝없이 연달아
길은 돌담을 끼고 갑니다.

담은 쇠문을 굳게 닫아
길 위에 긴 그림자를 드리우고

길은 아침에서 저녁으로
저녁에서 아침으로 통했습니다.

돌담을 더듬어 눈물짓다
쳐다보면 하늘은 부끄럽게 푸릅니다.

풀 한 포기 없는 이 길을 걷는 것은
담 저쪽에 내가 남아 있는 까닭이고,

내가 사는 것은, 다만,
잃은 것을 찾는 까닭입니다.

간판 없는 거리

정거장 플랫폼에
내렸을 때 아무도 없어,

다들 손님들뿐
손님 같은 사람들뿐,

집집마다 간판이 없어
집 찾을 근심이 없어

빨갛게
파랗게
불붙는 문자도 없어

모퉁이마다
자애로운 헌 와사등˚에
불을 켜 놓고,

손목을 잡으면
다들, 어진 사람들
다들, 어진 사람들

봄, 여름, 가을, 겨울,
순서로 돌아들고.

˚ 와사등 : 가스등.

종달새

종달새는 이른 봄날
질디진 거리의 뒷골목이
싫더라.
명랑한 봄 하늘,
가벼운 두 나래를 펴서
요염한 봄노래가
좋더라.
그러나,
오늘도 구멍 뚫린 구두를 끌고,
훌렁훌렁 뒷거릿길로
고기 새끼 같은 나는 헤매나니,
나래와 노래가 없음인가
가슴이 답답하구나.

병원

살구나무 그늘로 얼굴을 가리고, 병원 뒤뜰에 누워, 젊은 여자가 흰옷 아래로 하얀 다리를 드러내 놓고 일광욕을 한다. 한나절이 기울도록 가슴을 앓는다는 이 여자를 찾아오는 이, 나비 한 마리도 없다. 슬프지도 않은 살구나무 가지에는 바람조차 없다.

나도 모를 아픔을 오래 참다 처음으로 이곳에 찾아왔다. 그러나 나의 늙은 의사는 젊은이의 병을 모른다. 나한테는 병이 없다고 한다. 이 지나친 시련, 이 지나친 피로, 나는 성내서는 안 된다.

여자는 자리에서 일어나 옷깃을 여미고 화단에서 금잔화 한 포기를 따 가슴에 꽂고 병실 안으로 사라진다. 나는 그 여자의 건강이- 아니 내 건강도 속히 회복되기를 바라며 그가 누웠던 자리에 누워 본다.

71
병원

바람이 불어

바람이 어디로부터 불어와
어디로 불려가는 것일까,

바람이 부는데
내 괴로움에는 이유가 없다.

내 괴로움에는 이유가 없을까,

단 한 여자를 사랑한 일도 없다.
시대를 슬퍼한 일도 없다.

바람이 자꾸 부는데
내 발이 반석 위에 섰다.

강물이 자꾸 흐르는데
내 발이 언덕 위에 섰다.

가슴 1

소리 없는 북,
답답하면 주먹으로
뚜드려 보오.

그래 봐도
후—
가—는 한숨보다 못하오.

가슴 3

불 꺼진 화독을
안고 도는 겨울밤은 깊었다.

재만 남은 가슴이
문풍지 소리에 떤다.

77

가슴 3

반딧불

가자 가자 가자
숲으로 가자
달 조각을 주우러
숲으로 가자

그믐밤 반딧불은
부서진 달 조각

가자 가자 가자
숲으로 가자
달쪼각을 주우러
숲으로 가자

산울림

까치가 울어서
산울림,
아무도 못 들은
산울림.

까치가 들었다
산울림,
저 혼자 들었다
산울림.

오줌싸개 지도

빨랫줄에 걸어 논
요에다 그린 지도는
지난밤에 내 동생
오줌 싸 그린 지도

꿈에 가 본 엄마 계신
별나라 지돈가?
돈 벌러 간 아빠 계신
만주 땅 지돈가?

오줌싸개 지도

해바라기 얼굴

누나의 얼굴은
해바라기 얼굴
해가 금방 뜨자
일터에 간다.

해바라기 얼굴은
누나의 얼굴
얼굴이 숙어들어
집으로 온다.

85
해바라기 얼굴

굴뚝

산골짜기 오막살이 낮은 굴뚝엔
몽기몽기 웬 연기 대낮에 솟나

감자를 굽는 게지 총각애들이
깜박깜박 검은 눈이 모여 앉아서
입술이 꺼멓게 숯을 바르고
옛이야기 한 커리*에 감자 하나씩

산골짜기 오막살이 낮은 굴뚝엔
살랑살랑 솟아나네 감자 굽는 내.

• 한 커리 : 한 켤레, 한 가지.

굴뚝

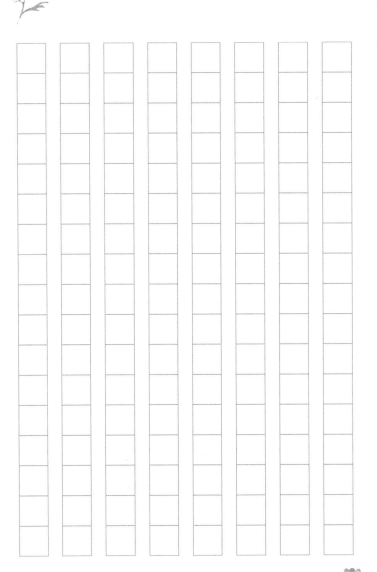

고향 집

—만주에서 부른

헌 짚신짝 끄을고
나 여기 왜 왔노
두만강을 건너서
쓸쓸한 이 땅에

남쪽 하늘 저 밑엔
따뜻한 내 고향
내 어머니 계신 곳
그리운 고향 집.

편지

누나!
이 겨울에도
눈이 가득히 왔습니다.

흰 봉투에
눈을 한 줌 넣고
글씨도 쓰지 말고
우표도 붙이지 말고
말쑥하게 그대로
편지를 부칠까요.

누나 가신 나라엔
눈이 아니 온다기에.

90

못 자는 밤

하나, 둘, 셋, 넷
……
밤은
많기도 하다.

못 자는 밤

아기의 새벽

우리 집에는
닭도 없단다.
다만
아기가 젖 달라 울어서
새벽이 된다.

우리 집에는
시계도 없단다.
다만
아기가 젖 달라 보채어
새벽이 된다.

95
아기의 새벽

빨래

빨랫줄에 두 다리를 드리우고
흰 빨래들이 귓속말하는 오후,
쨍쨍한 칠월 햇발은 고요히도
아담한 빨래에만 달린다.

빨래

참새

가을 지난 마당은 하이얀 종이
참새들이 글씨를 공부하지요.

째액째액 입으론 받아 읽으며
두 발로는 글씨를 공부하지요

하루 종일 글씨를 공부하여도
짹 자 한 자밖에는 더 못 쓰는걸.

무얼 먹고 사나

바닷가 사람
물고기 잡아 먹고 살고

산골엣 사람
감자 구워 먹고 살고

별나라 사람
무얼 먹고 사나.

기왓장 내외

비오는 날 저녁에 기왓장 내외
잃어버린 외아들 생각나선지
꼬부라진 잔등을 어루만지며
쭈룩쭈룩 구슬피 울음 웁니다.

대궐지붕 위에서 기왓장 내외
아름답던 옛날이 그리워선지
주름잡힌 얼굴을 어루만지며
물끄러미 하늘만 쳐다봅니다.

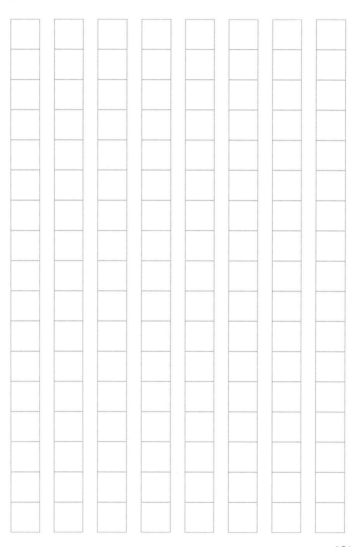

닭

— 닭은 나래가 커두

왜, 날잖나요

— 아마 두엄 파기에

홀, 잊었나 봐.

105
닭

둘 다

바다도 푸르고

하늘도 푸르고

바다도 끝없고

하늘도 끝없고

바다에 돌 던지고

하늘에 침 뱉고

바다는 벙글

하늘은 잠잠.

나무

나무가 춤을 추면
바람이 불고,
나무가 잠잠하면
바람도 자요.

개

눈 위에서
개가
꽃을 그리며
뛰어요.

눈

눈이
새하얗게
와서

눈이
새물새물해요.

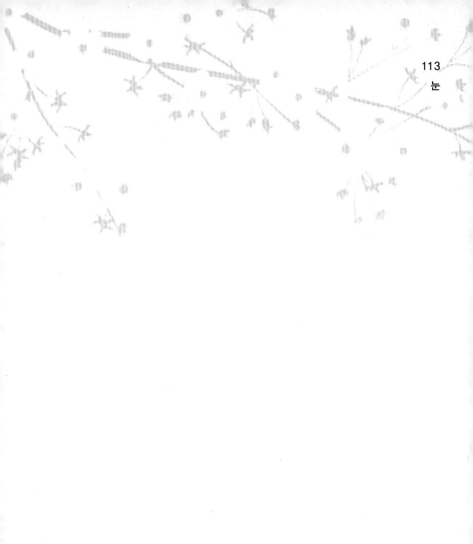

할아버지

왜 떡이 쓴데도
자꾸 달다고 해요.

호주머니

넣을 것 없어
걱정이던
호주머니는,

겨울만 되면
주먹 두 개 갑북갑북.

호주머니

비 뒤

"어- 얼마나 반가운 비냐."
할아버지의 즐거움.

가물 들었던 곡식 자라는 소리
할아버지 담배 빠는 소리와 같다.

비 뒤의 햇살은
풀잎에 아름답기도 하다.

달같이

연륜이 자라듯이
달이 자라는 고요한 밤에
달같이 외로운 사랑이
가슴 하나 뻐근히
연륜처럼 피어나간다.

그 여자

함께 핀 꽃에 처음 익은 능금은
먼저 떨어졌습니다.

오늘도 가을바람은 그냥 붑니다.

길가에 떨어진 붉은 능금은
지나던 손님이 집어 갔습니다.

123
그 여자

팔복(八福)

-마태복음 5장 3~12

슬퍼하는 자는 복이 있나니
슬퍼하는 자는 복이 있나니
슬퍼하는 자는 복이 있나니
슬퍼하는 자는 복이 있나니
슬퍼하는 자는 복이 있나니
슬퍼하는 자는 복이 있나니
슬퍼하는 자는 복이 있나니
슬퍼하는 자는 복이 있나니

저희가 영원히 슬플 것이오.

팔복(八福)

_____

_____

_____

_____

_____

_____

_____

_____

_____

_____

_____

_____

_____

_____

_____

_____

초 한 대

초 한 대―
내 방에 풍긴 향내를 맡는다.

광명의 제단이 무너지기 전
나는 깨끗한 제물을 보았다.

염소의 갈비뼈 같은 그의 몸,
그리고도 그의 생명인 심지(心志)까지
백옥 같은 눈물과 피를 흘려
불살라 버린다.

초 한 대

그리고도 책상머리에 아롱거리며
선녀처럼 촛불은 춤을 춘다.

매를 본 꿩이 도망가듯이
암흑이 창구멍으로 도망간
나의 방에 품긴
제물의 위대한 향내를 맛보노라.

초 한 대

위로

거미란 놈이 흉한 심보로 병원 뒤뜰 난간과 꽃밭 사이 사람 발이 잘 닿지 않는 곳에 그물을 쳐 놓았다. 옥외 요양을 받는 젊은 사나이가 누워서 치어다보기 바르게–

나비가 한 마리 꽃밭에 날아들다 그물에 걸리었다. 노–란 날개를 파득거려도 파득거려도 나비는 자꾸 감기우기만 한다. 거미가 쏜살같이 가더니 끝없는 끝없는 실을 뽑아 나비의 온몸을 감아 버린다. 사나이는 긴 한숨을 쉬었다.

나(歲)[*] 보담 무수한 고생 끝에 때를 잃고 병을 얻은 이 사나이를 위로할 말이– 거미줄을 헝클어 버리는 것밖에 위로의 말이 없었다.

---

* 나(歲) : 나이.

장

이른 아침 아낙네들은 시든 생활을
바구니 하나 가득 담아 이고……
업고 지고……안고 들고……
모여드오 자꾸 장에 모여드오.

가난한 생활을 골골이 벌여 놓고
밀려가고 밀려오고……
저마다 생활을 외치오……싸우오.

온 하루 올망졸망한 생활을
되질하고 저울질하고 자질하다가
날이 저물어 아낙네들이
쓴 생활과 바꾸어 또 이고 돌아가오.

슬픈 족속

흰 수건이 검은 머리를 두르고
흰 고무신이 거친 발에 걸리우다.

흰 저고리 치마가 슬픈 몸집을 가리고
흰 띠가 가는 허리를 질끈 동이다.

아우의 인상화

붉은 이마에 싸늘한 달이 서리어
아우의 얼굴은 슬픈 그림이다.

발걸음을 멈추어
살그머니 앳된 손을 잡으며
"너는 자라 무엇이 되려니"

"사람이 되지"
아우의 설운 진정코 설운 대답이다.

슬며—시 잡았던 손을 놓고
아우의 얼굴을 다시 들여다본다.

싸늘한 달이 붉은 이마에 젖어
아우의 얼굴은 슬픈 그림이다.

트루게네프의 언덕

    나는 고갯길을 넘고 있었다…… 그때 세 소년 거지
가 나를 지나쳤다.

    첫째 아이는 잔등에 바구니를 둘러메고, 바구니 속
에는 사이다병, 통조림통, 쇳조각, 헌 양말짝 등 폐물
이 가득하였다.

    둘째 아이도 그러하였다.

    셋째 아이도 그러하였다.

    텁수룩한 머리털, 시커먼 얼굴에 눈물 고인 충혈된
눈, 색 잃어 푸르스름한 입술, 너덜너덜한 남루, 찢겨진
맨발, 아—얼마나 무서운 가난이 이 어린 소년들을 삼키
었느냐!

    나는 측은한 마음이 움직이었다.

    나는 호주머니를 뒤지었다. 두툼한 지갑, 시계, 손수
건……있을 것은 죄다 있었다.

139
트루게네프의 언덕

그러나 무턱대고 이것들을 내줄 용기는 없었다. 손으로 만지작 만지작거릴 뿐이었다.

다정스레 이야기나 하리라 하고 "얘들아." 불러보았다.

첫째 아이가 충혈된 눈으로 흘끔 돌아다볼 뿐이었다.

둘째 아이도 그러할 뿐이었다.

셋째 아이도 그러할 뿐이었다.

그리고는 너는 상관없다는 듯이 자기네끼리 소곤소곤 이야기하면서 고개로 넘어갔다.

언덕 위에는 아무도 없었다.

짙어가는 황혼이 밀려들 뿐–

141

트루게네프의 언덕

귀뚜라미와 나와

귀뚜라미와 나와
잔디밭에서 이야기했다.

귀뚤귀뚤
귀뚤귀뚤

아무게도 알으켜 주지 말고
우리들만 알자고 약속했다.

귀뚤귀뚤
귀뚤귀뚤

귀뚜라미와 나와
달 밝은 밤에 이야기했다.

밤

외양간 당나귀
아앙 앙 외마디 울음 울고,

당나귀 소리에
으-아 아 아기 소스라쳐 깨고,

등잔에 불을 달아요.

아버지는 당나귀에게
짚을 한 키 담아 주고,

어머니는 아기에게
젖을 한 모금 먹이고,

밤은 다시 고요히 잠들어요.

밤

햇빛·바람

손가락에 침 발라
쏘옥, 쏙, 쏙
장에 가는 엄마 내다보려
문풍지를
쏘옥, 쏙, 쏙

아침에 햇빛이 빤짝,

손가락에 침 발라
쏘옥, 쏙, 쏙
장에 가신 엄마 돌아오나
문풍지를
쏘옥, 쏙, 쏙

저녁에 바람이 솔솔.

버선본

어머니!
누나 쓰다 버린 습자지는
두었다간 뭣에 쓰나요?

그런 줄 몰랐더니
습자지에다 내 버선 놓고
가위로 오려
버선본 만드는걸.

어머니!
내가 쓰다 버린 몽당연필은
두었다간 뭣에 쓰나요?

그런 줄 몰랐더니
천 위에다 버선본 놓고
침 발라 점을 찍곤
내 버선 만드는걸.

거짓부리

똑, 똑, 똑,
문 좀 열어 주셔요
하룻밤 자고 갑시다.
　밤은 깊고 날은 추운데
　거, 누굴까?
문 열어 주고 보니
검둥이 꼬리가
거짓부리한걸.

꼬기요, 꼬기요,
달걀 낳았다
간난아! 어서 집어 가거라
　간난이 뛰어가 보니
　달걀은 무슨 달걀
고놈의 암탉이
대낮에 새빨간
거짓부리한걸.

빗자루

요-리조리 베면 저고리 되고
이-렇게 베면 큰 총 되지.
　누나하고 나하고
　가위로 종이 쏠았더니
　어머니가 빗자루 들고
　누나 하나 나 하나
　볼기짝을 때렸어요
　방바닥이 어지럽다고-

　아니 아-니
　고놈의 빗자루가
　방바닥 쓸기 싫으니
　그랬지 그랬어
괘씸하여 벽장 속에 감췄더니
이튿날 아침 빗자루가 없다고
어머니가 야단이지요.

만돌이

만돌이가 학교에서 돌아오다가
전봇대 있는 데서
돌재기* 다섯 개를 주웠습니다.

전봇대를 겨누고
돌 한 개를 뿌렸습니다.
―딱―
두 개째 뿌렸습니다.
―아뿔싸―
세 개째 뿌렸습니다.
―딱―
네 개째 뿌렸습니다.
―아뿔사―
다섯 개째 뿌렸습니다.
―딱―

155
만돌이

다섯 개에 세 개……
그만하면 되었다.
내일 시험,
다섯 문제에 세 문제만 하면-
손꼽아 구구를 하여 봐도
허양** 육십 점이다.
볼 거 있나 공 차러 가자.

그 이튿날 만돌이는
꼼짝 못하고 선생님한테
흰 종이를 바쳤을까요?
그렇잖으면 정말
육십 점을 맞았을까요?

---

* 돌재기 : 자갈.
** 허양 : 거뜬히.

157
만돌이

조개껍질

―바닷물 소리 듣고 싶어

아롱아롱 조개껍데기
울 언니 바닷가에서
주워 온 조개껍데기

여긴여긴 북쪽 나라요
조개는 귀여운 선물
장난감 조개껍데기

데굴데굴 굴리며 놀다
짝 잃은 조개껍데기
한 짝을 그리워하네

아롱아롱 조개껍데기
나처럼 그리워하네
물소리 바닷물 소리

조개껍질

햇비

아씨처럼 나린다
보슬보슬 햇비
맞아주자, 다 같이
옥수숫대처럼 크게
닷 자 엿 자 자라게
해님이 웃는다
나 보고 웃는다.

하늘다리 놓였다.
알롱달롱 무지개
노래하자, 즐겁게
동무들아 이리 오나
다 같이 춤을 추자
해님이 웃는다
즐거워 웃는다.

병아리

"뾰, 뾰, 뾰
엄마 젖 좀 주"
병아리 소리.

"꺽, 꺽, 꺽
오냐, 좀 기다려"
엄마닭 소리.

좀 있다가
병아리들은
엄마 품으로
다 들어갔지요.

Page 163

비행기

머리의 프로펠러가
연자간 풍차보다
더- 빨리 돈다.

땅에서 오를 때보다
하늘에 높이 떠서는
빠르지 못하다
숨결이 찬 모양이야.

비행기는-
새처럼 나래를
펄럭거리지 못한다
그리고 늘-
소리를 지른다
숨이 찬가 봐.

봄

우리 아기는
아래 발치에서 코올코올

고양이는
부뚜막에서 가릉가릉

아기바람이
나뭇가지에 소올소올

아저씨 해님이
하늘 한가운데서 째앵째앵.

사과

붉은 사과 한 개를
아버지 어머니
누나, 나, 넷이서
껍질째로 송치* 까지
다─ 나눠 먹었어요.

---

* 송치 : 속.

눈

지난 밤에
눈이 소-복이 왔네
지붕이랑
길이랑 밭이랑
추워한다고
덮어주는 이불인가 봐

그러기에
추운 겨울에만 내리지

겨울

처마 밑에
시래기 다래미*
바삭바삭
추워요.

길바닥에
말똥 동그래미
달랑달랑
얼어요.

---

* 다래미 : 두름.

산골 물

괴로운 사람아 괴로운 사람아
옷자락 물결 속에서도
가슴속 깊이 돌돌 샘물이 흘러
이 밤을 더불어 말할 이 없도다.
거리의 소음과 노래 부를 수 없도다.
그신 듯이˚ 냇가에 앉았으니
사랑과 일을 거리에 맡기고
가만히 가만히
바다로 가자.
바다로 가자.

˚ 그신 듯이 : 끌린 듯이.

거리에서

달밤의 거리
광풍이 휘날리는
북국의 거리
도시의 진주
전등 밑을 헤엄치는
쪼그만 인어 나.
달과 전등에 비쳐
한 몸에 둘셋의 그림자,
커졌다 작아졌다.

괴롬의 거리

회색빛 밤거리를

걷고 있는 이 마음,

선풍이 일고 있네.

외로우면서도

한 갈피 두 갈피

피어나는 마음의 그림자,

푸른 공상(空想)이

높아졌다 낮아졌다.

공상

공상-
내 마음의 탑
나는 말없이 이 탑을 쌓고 있다.
명예와 허영의 천공(天空)에다
무너질 줄도 모르고
한 층 두 층 높이 쌓는다.

무한한 나의 공상-
그것은 내 마음의 바다,
나는 두 팔을 펼쳐서
나의 바다에서
자유로이 헤엄친다.
황금, 지욕(知慾)의 수평선을 향하여.

181
공상

남쪽 하늘

제비는 두 나래를 가지었다.
스산한 가을날–

어머니의 젖가슴이 그리운
서리 나리는 저녁–

어린 영(靈)은 쪽나래의 향수를 타고
남쪽 하늘에 떠돌 뿐–

남쪽 하늘

비둘기

안아 보고 싶게 귀여운
산비둘기 일곱 마리
하늘 끝까지 보일 듯이 맑은 주일날 아침에
벼를 거두어 빼빼한* 논에서
앞을 다투어 요**를 주으며
어려운 이야기를 주고받으오.

날씬한 두 나래로 조용한 공기를 흔들어
두 마리가 나오.
집에 새끼 생각이 나는 모양이오.

---

* 빼빼한 : 빤빤한. 울퉁불퉁한 데가 없이 고르고 반듯한.
** 요 : 모이.

이별

눈이 오다, 물이 되는 날
잿빛 하늘에 또 뿌연 내, 그리고,
커다란 기관차는 빼– 액– 울며,
쪼끄만 가슴은 울렁거린다.

이별이 너무 재빠르다, 안타깝게도,
사랑하는 사람을,
일터에서 만나자 하고–
더운 손의 맛과, 구슬 눈물이 마르기 전
기차는 꼬리를 산굽으로 돌렸다.

꿈은 깨어지고

꿈은 눈을 떴다.
그윽한 유무(幽霧)에서.

노래하던 종다리,
도망쳐 날아 나고,

지난날 봄 타령 하던
금잔디밭은 아니다.

탑은 무너졌다,
붉은 마음의 탑이―

꿈은 깨어지고

손톱으로 새긴 대리석 탑이―
하루 저녁 폭풍에 여지없이도,

오―황폐의 쑥밭,
눈물과 목메임이여!

꿈은 깨어졌다,
탑은 무너졌다.

꿈은 깨어지고

황혼

햇살은 미닫이 틈으로
길쭉한 일 자(一字)를 쓰고…… 지우고……

까마귀 떼 지붕 위로
둘, 둘, 셋, 넷, 자꾸 날아 지난다.
쑥쑥, 꿈틀꿈틀 북쪽 하늘로,

내사……
북쪽 하늘에 나래를 펴고 싶다.

닭

한 칸 계사 그 너머 창공이 깃들어
자유의 향토를 잊은 닭들이
시들은 생활을 주절대고,
생산의 고로(苦勞)를 부르짖었다.

음산한 계사에서 쏠려 나온
외래종 레그혼,
학원(學園)에서 새 무리가 밀려 나오는
삼월의 맑은 오후도 있다.

닭들은 녹아드는 두엄을 파기에
아담한 두 다리가 분주하고
굶주렸던 주두리가 바지런하다.
두 눈이 붉게 여물도록—

산상(山上)

거리가 바둑판처럼 보이고,
강물이 배암이 새끼처럼 기는
산 위에까지 왔다.
아직쯤은 사람들이
바둑돌처럼 벌여 있으리라.

한나절의 태양이
함석 지붕에만 비치고,
굼벵이 걸음을 하던 기차가
정거장에 섰다가 검은 내를 토하고
또, 걸음발을 탄다.

텐트 같은 하늘이 무너져
이 거리를 덮을까 궁금하면서
좀 더 높은 데로 올라가고 싶다.

오후의 구장(球場)

늦은 봄 기다리던
토요일 날,
오후 세시 반의 경성(京城)행 열차는
석탄 연기를 자욱이 풍기고
소리치고 지나가고,

한 몸을 끌기에 강하던
공이 자력(磁力)을 잃고
한 모금의 물이
불붙는 목을 축이기에
넉넉하다.
젊은 가슴의 피 순환이 잦고,
두 철각(鐵脚)이 늘어진다.

검은 기차 연기와 함께
푸른 산이
아지랑이 저 쪽으로
가라앉는다.

양지쪽

저쪽으로 황토 실은 이 땅 봄바람이
호인(胡人)의 물레바퀴처럼 돌아 지나고,
아롱진 사월 태양의 손길이
벽을 등진 설운 가슴마다 올올이 만진다.

지도째기 놀음에 뉘 땅인 줄 모르는 애 둘이
한뽐 손가락이 짧음을 한(恨)함이여.

아서라! 가뜩이나 엷은 평화가
깨어질까 근심스럽다.

고추밭

시든 잎새 속에서
고 빨-간 살을 드러내놓고,
고추는 방년(芳年) 된 아가씬 양
땡볕에 자꾸 익어간다.

할머니는 바구니를 들고
밭머리에서 어정거리고
손가락 너어는 아이는
할머니 뒤만 따른다.

203
고추밭

아침

휙, 휙, 휙, 소꼬리가 부드러운 채찍질로 어둠을 쫓아,
캄, 캄, 캄, 어둠이 깊다 깊다 밝으오.

이제 이 동리의 아침이
풀살 오른 소 엉덩이처럼 기름지오.
이 동리 콩죽 먹는 사람들이
땀물을 뿌려 이 여름을 자래웠소.*

잎, 잎, 풀잎마다 땀방울이 맺혔소.
여보! 여보! 이 모─든 것을 아오.

이 아침을
심호흡하오 또 하오.

---

* 자래웠소 : 길렀소.

아침

곡간(谷間)

산들이 두 줄로 줄달음질 치고
여울이 소리쳐 목이 잦았다.
한여름의 해님이 구름을 타고
이 골짜기를 빠르게도 건너련다.

산등아리°에 송아지 뿔처럼
울뚝불뚝히 어린 바위가 솟고,
얼룩소의 보드러운 털이
산등서리°에 퍼-렇게 자랐다.

삼 년만에 고향 찾아드는
산골 나그네의 발걸음이
타박타박 땅을 고눈다.**
벌거숭이 두루미 다리같이……

헌 신짝이 지팡이 끝에
모가지를 매달아 늘어지고,
까치가 새끼의 날발을 태우려*** 날 뿐,
골짝은 나그네의 마음처럼 고요하다.

---

* 산등아리, 산등서리 : 산등, 산등성이.
** 고눈다 : 발굽을 세워 디딘다.
*** 날발을 태우려 : 날기 연습을 시키려.

유언

훤한 방에
유언은 소리 없는 입놀림.

ー바다에 진주 캐러 갔다는 아들
　해녀와 사랑을 속삭인다는 맏아들
　이 밤에사 돌아오나 내다봐라ー

평생 외롭던 아버지의 운명(殞命)
감기우는 눈에 슬픔이 어린다.

외딴집에 개가 짖고
휘양찬 달이 문살에 흐르는 밤.

유언

비로봉

만상을
굽어보기란–

무릎이
오들오들 떨린다.

백화(白樺)
어려서 늙었다.

새가
나비가 된다.

정말 구름이
비가 된다.

옷자락이
춥다.

명상

가츨가츨한˚ 머리칼은 오막살이 처마 끝,
쉬파람˚˚에 콧마루가 서운한 양 간질키오.

들창 같은 눈은 가볍게 닫혀,
이 밤에 연정은 어둠처럼 골골이 스며드오.

˚ 가츨가츨한 : 가칠가칠한, 윤기가 없고 거친.
˚˚ 쉬파람 : 휘파람.

이적

발에 터분한 것을 다 빼어 버리고
황혼이 호수 위로 걸어오듯이
나도 사뿐사뿐 걸어 보리이까?

내사 이 호숫가로
부르는 이 없이
불리어 온 것은
참말 이적(異蹟)이외다.

오늘따라
연정, 자홀(自惚), 시기, 이것들이
자꾸 금메달처럼 만져지는구려.

하나, 내 모든 것을 여념 없이
물결에 써서 보내려니
당신은 호면(湖面)으로 나를 불러내소서.

흐르는 거리

으스름히 안개가 흐른다. 거리가 흘러간다.

저 전차, 자동차, 모든 바퀴가 어디로 흘리워 가는 것일까? 정박할 아무 항구도 없이, 가련한 많은 사람들을 싣고서, 안개 속에 잠긴 거리는,

거리 모퉁이 붉은 포스트 상자를 붙잡고 섰을라면 모든 것이 흐르는 속에 어렴풋이 빛나는 가로등, 꺼지지 않는 것은 무슨 상징일까? 사랑하는 동무 박이여! 그리고 김이여! 자네들은 지금 어디 있는가? 끝없이 안개가 흐르는데,

"새로운 날 아침 우리 다시 정답게 손목을 잡아보세" 몇 자 적어 포스트 속에 떨어트리고, 밤을 새워 기다리면 금 휘장에 금단추를 삐였고˚ 거인처럼 찬란히 나타나는 배달부, 아침과 함께 즐거운 내림(來臨),

이 밤을 하염없이 안개가 흐른다.

• 삐였고 : 끼웠고.

돌아와 보는 밤

　세상으로부터 돌아오듯이 이제 내 좁은 방에 돌아와 불을 끄옵니다. 불을 켜 두는 것은 너무나 피로롭은* 일이옵니다. 그것은 낮의 연장이옵기에―

　이제 창을 열어 공기를 바꾸어 들여야 할 텐데 밖을 가만히 내다보아야 방안과 같이 어두워 꼭 세상 같은 데 비를 맞고 오던 길이 그대로 빗속에 젖어 있사옵니다.

　하루의 울분을 씻을 바 없어 가만히 눈을 감으면 마음속으로 흐르는 소리, 이제, 사상이 능금처럼 저절로 익어 가옵니다.

• 피로롭은 : '피로한' 또는 '피로한 듯한'의 뜻으로 쓰인 말.

221

돌아와 보는 밤

새벽이 올 때까지

다들 죽어가는 사람들에게
검은 옷을 입히시오.

다들 살아가는 사람들에게
흰 옷을 입히시오.

그리고 한 침대에
가지런히 잠을 재우시오.

다들 울거들랑
젖을 먹이시오.

이제 새벽이 오면
나팔 소리 들려올 게외다.

무서운 시간

거 나를 부르는 것이 누구요,

가랑잎 이파리 푸르러 나오는 그늘인데,
나 아직 여기 호흡이 남아 있소.

한 번도 손들어 보지 못한 나를
손들어 표할 하늘도 없는 나를

어디에 내 한 몸 둘 하늘이 있어
나를 부르는 것이오.

일이 마치고 내 죽는 날 아침에는
서럽지도 않은 가랑잎이 떨어질 텐데……

나를 부르지 마오.

삶과 죽음

삶은 오늘도 죽음의 서곡을 노래하였다.
이 노래가 언제나 끝나랴.

세상 사람은―
뼈를 녹여 내는 듯한 삶의 노래에
춤을 춘다.
사람들은 해가 넘어가기 전
이 노래 끝의 공포를
생각할 사이가 없었다.

하늘 복판에 아로새기듯이
이 노래를 부른 자가 누구뇨

그리고 소낙비 그친 뒤같이도
이 노래를 그친 자가 누구뇨

죽고 뼈만 남은
죽음의 승리자 위인들!

간

바닷가 햇빛 바른 바위 위에
습한 간을 펴서 말리우자,

코카서스 산중에서 도망해 온 토끼처럼
둘러리를 빙빙 돌며 간을 지키자,

내가 오래 기르던 여윈 독수리야!
와서 뜯어먹어라, 시름없이

너는 살찌고
나는 여위어야지, 그러나,

거북이야!
다시는 용궁의 유혹에 안 떨어진다.

프로메테우스 불쌍한 프로메테우스
불 도적한 죄로 목에 맷돌을 달고
끝없이 침전하는 프로메테우스.

봄

봄이 혈관 속에 시내처럼 흘러
돌, 돌, 시내 가까운 언덕에
개나리, 진달래, 노─란 배추꽃,

삼동을 참아 온 나는
풀포기처럼 피어난다.

즐거운 종달새야
어느 이랑에서나 즐거웁게 솟쳐라.

푸르른 하늘은
아른, 아른, 높기도 한데……

사랑의 전당

순아 너는 내 전(殿)에 언제 들어왔던 것이냐?
내사 언제 네 전에 들어갔던 것이냐?

우리들의 전당은
고풍한 풍습이 어린 사랑의 전당

순아 암사슴처럼 수정 눈을 내리감아라.
난 사자처럼 엉클린 머리를 고르련다.

우리들의 사랑은 한낱 벙어리였다.

청춘!
성스런 촛대에 열(熱)한 불이 꺼지기 전
순아 너는 앞문으로 내달려라.

사랑의 전당

어둠과 바람이 우리 창에 부닥치기 전
나는 영원한 사랑을 안은 채
뒷문으로 멀리 사라지련다.

이제
네게는 삼림 속의 아늑한 호수가 있고,
내게는 준험한 산맥이 있다.

사랑의 전당

소낙비

번개, 뇌성, 왁자지근 뚜드려
머언 도회지에 낙뢰가 있어만 싶다.

벼룻장 엎어 논 하늘로
살 같은 비가 살처럼 쏟아진다.

손바닥만 한 나의 정원이
마음같이 흐린 호수 되기 일쑤다.

바람이 팽이처럼 돈다.
나무가 머리를 이루 잡지 못한다.

내 경건한 마음을 모셔 들여
노아 때 하늘을 한 모금 마시다.

소낙비

흰 그림자

황혼이 짙어지는 길모금˚에서
하루 종일 시들은 귀를 가만히 기울이면
땅거미 옮겨지는 발자취 소리,

발자취 소리를 들을 수 있도록
나는 총명했던가요.

이제 어리석게도 모든 것을 깨달은 다음
오래 마음 깊은 속에
괴로워하던 수많은 나를
하나, 둘 제 고장으로 돌려보내면
거리 모퉁이 어둠 속으로
소리 없이 사라지는 흰 그림자,

흰 그림자들
연연히 사랑하던 흰 그림자들,

내 모든 것을 돌려보낸 뒤
허전히 뒷골목을 돌아
황혼처럼 물드는 내 방으로 돌아오면

신념이 깊은 의젓한 양처럼
하루 종일 시름없이 풀포기나 뜯자.

• 길모금 : 길목.

또 다른 고향

고향에 돌아온 날 밤에
내 백골이 따라와 한방에 누웠다.

어둔 방은 우주로 통하고
하늘에선가 소리처럼 바람이 불어온다.

어둠 속에 곱게 풍화 작용 하는
백골을 들여다보며
눈물짓는 것이 내가 우는 것이냐
백골이 우는 것이냐
아름다운 혼이 우는 것이냐

지조 높은 개는
밤을 새워 어둠을 짖는다.

어둠을 짖는 개는
나를 쫓는 것일 게다.

가자 가자
쫓기우는 사람처럼 가자
백골 몰래
아름다운 또 다른 고향에 가자.